For Pat, Anne and Siobhán

Copyright © 1999 Zero to Ten Ltd
Pete's Puddles text © 1996 Hannah Roche
Illustrations © 1996 Pierre Pratt
Téacs i nGaeilge © 1999 Traolach Mac Cuinn

Publisher: Anna McQuinn, Art Director: Tim Foster

Eagrán Gaeilge 1999 Zero to Ten Ltd
46, Chalvey Road East, Slough, Berkshire SL1 2LR

ISBN 1-84089-124-6

Printed in Hong Kong

Sneachta

Scríofa ag
Hannah Roche

Léirithe ag
Pierre Pratt

Téacs i nGaeilge
Traolach Mac Cuinn

Féach! Bhí sé ag cur sneachta i rith na hoíche. Tá sé an-gheal! Tá an sneachta ina bhrat bhog bhán ar fud an ghairdín.

Deir Mamaí liom mo chóta
agus mo wellies a chur orm
AGUS hata agus lámhaíní,
más mian liom dul amach.

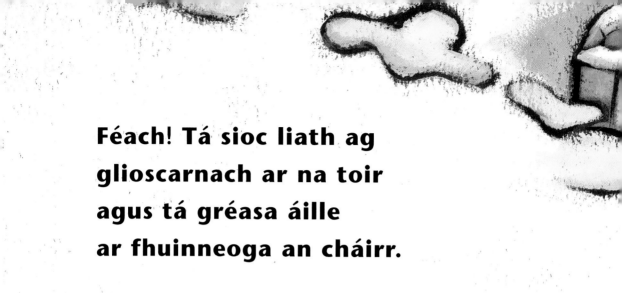

Féach! Tá sioc liath ag
glioscarnach ar na toir
agus tá gréasa áille
ar fhuinneoga an cháirr.

Is traein mise!
Féach ar mo dheatach!

Tá comórtas sa pháirc
féachaint cé dhéanfaidh an
fear sneachta is fearr.
Tá cuid acu ollmhór!

Tá cuid de na buachaillí móra
ag troid le liathróidí sneachta.

Tá ár gcomórtas féin againn
sa bhaile, ach táimíd-ne
ag déanamh cailín-sneachta!

Thug Mamaí sean bhráilín
dom mar ghúna agus fuair
Sive muince gleoite di.

Tá a bhuicéad agus a spáid
ag mo dheartháir bheag.
Is dóigh leis go bhfuil sé
ag an trá!

Is maith le Penny Piongain sleamhnú ar an leac-oighir. Caithfidh sí bheith aireach – má bhriseann an leac-oighir, titfidh sí isteach agus beidh sí fliuch báite.

Tháinig Mamaí chun pictiúr
a thógáil agus thug sí
anraith bhlasta te dúinn.

Is iontach an deoch í anraith
lá fuar sneachta... agus
déanann noodles gruaig
álainn do chailín sneachta!